图书在版编目（CIP）数据

历代传世家训：简体咏诵本．第一辑 / 养正书坊编．-- 北京：中国劳动社会保障出版社，2020

ISBN 978-7-5167-4719-3

Ⅰ．①历…　Ⅱ．①养…　Ⅲ．①家庭道德 - 中国　Ⅳ．① B823.1

中国版本图书馆 CIP 数据核字（2020）第 209379 号

责任编辑 / 高　尚

责任校对 / 李春雷

责任设计 / 王利民

中国劳动社会保障出版社出版发行

（北京市惠新东街 1 号　邮政编码：100029）

*

北京华联印刷有限公司印刷装订　　新华书店经销

880 毫米 × 1230 毫米　16 开本　12.75 印张　94 千字

2020 年 11 月第 1 版　　2020 年 11 月第 1 次印刷

定价：68.00 元

读者服务部电话：（010）64929211/84209101/64921644

营销中心电话：（010）64962347

出版社网址：http://www.class.com.cn

历代传世家训

（简体咏诵本）

第一辑

養正書坊

中国劳动社会保障出版社

代序书写　杨上秋
文字书写　厉培明
　　　　　王克林
书法字体　隶　书

代序

所謂治國必先齊其家者其家不可教而能教人者無之故君子不出家而成教於國孝者所以事君也弟者所以事長也慈者所以使衆也康誥曰如保赤子心誠求之雖不中不遠矣

此序为《大学·传九章》。《大学》是一篇论述修身、齐家、治国、平天下的儒家经典，相传为曾子所作，和《中庸》《论语》《孟子》并称『四书』。

代序

所谓治国必先齐其家者，其家不可教而能教人者，无之。故君子不出家而成教于国。孝者，所以事君也；弟者，所以事长也；慈者，所以使众也。《康诰》曰：“如保赤子。”心诚求之，虽不中，不远矣，

未有學養子而後嫁者也一家仁一國
興仁一家讓一國興讓一人貪戾一國作
亂其機如此此謂一言僨事一人定國
堯舜帥天下以仁而民從之桀紂帥天
下以暴而民從之其所令反其所好而民
不從是故君子有諸己而後求諸人
無諸己而後非諸人所藏乎身不
恕而能喻諸人者未之有也故治國
在齊其家詩云桃之夭夭其葉蓁蓁

未有学养子而后嫁者也。一家仁，一国兴仁；一家让，一国兴让；一人贪戾，一国作乱；其机如此。此谓一言偾事，一人定国。尧舜帅天下以仁而民从之；桀、纣帅天下以暴而民从之。其所令，反其所好，而民不从。是故，君子有诸己而后求诸人，无诸己而后非诸人。所藏乎身不恕，而能喻诸人者，未之有也。故治国在齐其家。《诗》云："桃之夭夭，其叶蓁蓁。

之子于歸宜其家人宜其家人而後
可以教國人詩云宜兄宜弟宜兄宜弟
而後可以教國人詩云其儀不忒正
是四國其為父子兄弟足法而後民
法之也此謂治國在齊其家

之子于归，宜其家人。”宜其家人，而后可以教国人。《诗》云：“宜兄宜弟。”宜兄宜弟，而后可以教国人。《诗》云：“其仪不忒，正是四国。”其为父子兄弟足法，而后民法之也。此谓治国在齐其家。

（选自《大学 · 传九章》）

出版说明

“天下之本在国，国之本在家，家之本在身。”中国社会的重心在家庭，家庭不仅是人们温情相伴、血脉相连的居所，还是人们修身立业、安身立命的依托。传统社会读书人修身、齐家、治国、平天下的人生追求中，齐家是修身的功业和治国、平天下的基础，成为大多数读书人一生的功课。“齐家”就要有一套家庭生活规则体系，体现一个家庭的道德观念、价值追求和精神气质，这就是一个家庭的家教和家风。

在源远流长的传统文化中，孟母三迁、断织劝学、曾子杀猪教子的家庭教育故事到今天已是老幼皆知、耳熟能详。许多传承千古的家训记录了一个个时代社会对家庭生活的规范和要求，是一位位“家长”治家齐家的生命缩影，延续了一个个家庭绵延不绝的文化血脉。

家训作为家教和家风的文字载体，形式多样，包括诗歌、散文、格言、书信等，蕴含着传统文化固有的修齐治平理想、中庸之道、仁义礼智信、忠孝节义廉等优良美德，沉淀着中华民族的教育思想、伦理道德、人生智慧和价值取向，展现着中国家庭的日常生活样式和生活智慧，润泽了一代又一代华夏子孙。

家训呈现一个家庭的精神风貌、道德情操和生活行为，最终落脚在家庭成员的人格养成。在家庭教育功能转移到社会的今天，家训仍不失为人格修养的教科书。父慈子孝、兄友弟恭、夫义妻顺、尊老爱幼、勤俭持家等家庭美德需要每个家庭秉持坚守，良好的家教和家风有助于家庭成员培育人格、陶冶情操、提升修养，这对于醇化社会风气、提升国人素质、传承民族文化至关重要，正所谓“斯文之传，莫大乎是矣”。

本套书共四册，遴选历代名人家训，年代上至春秋、下迄清末，内容涵盖修身、劝学、持家、处事、治家、为政等，文体包括散文、格言和书信等，邀请当代书法家用隶书、楷书、行楷三种字体书写，在内容选取、资料整理、呈现形式上力求有所创新和突破，体现出编者对传统家训的一份温情和敬意，是优秀的传统文化读本。

本套书选自历代典籍，做了节选和核校，依据《辞海》相关内容编辑了作者生平简介。由于编者能力的局限，书中尚有不足之处，敬请专家读者批评指正。

二〇二〇年九月

目录

春秋

孔子家訓

孔子（前五五一—前四七九年），名丘，字仲尼，出生地鲁国陬邑（今山东曲阜）。春秋末期思想家、政治家、教育家。孔子开创了私人讲学的风气，主张有教无类，因材施教，是儒家学派的创始人。孔子的儒家思想对中国和世界都有深远的影响。

庭訓

陳亢問于伯魚曰子亦有異聞乎對曰未也嘗獨立鯉趨而過庭曰學詩乎對曰未也不學詩無以言鯉退而學詩他日又獨立鯉趨而過庭曰學禮乎對曰

孔子家训

庭训

陈亢问于伯鱼曰："子亦有异闻乎？"对曰："未也。尝独立，鲤趋而过庭，曰：'学诗乎？'对曰：'未也。''不学诗，无以言。'鲤退而学诗。他日又独立，鲤趋而过庭，曰：'学礼乎？'对曰：

未也不學禮無以立鯉退而學禮聞斯二者陳亢退而喜曰問一得三聞詩聞禮又聞君子之遠其子也

富貴有道

富與貴是人之所欲也不以其道得之不處也貧與賤是人之所惡也不以其道得之不去也君子去仁惡乎成名君子無終食之間違仁造次必於是顛沛必於是

未也。‘不学礼，无以立。’鲤退而学礼。闻斯二者。”陈亢退而喜曰：“问一得三，闻诗、闻礼，又闻君子之远其子也。”

（《论语 · 季氏》）

富贵有道

富与贵，是人之所欲也，不以其道得之，不处也；贫与贱，是人之所恶也，不以其道得之，不去也。君子去仁，恶乎成名？君子无终食之间违仁，造次必于是，颠沛必于是。

（《论语 · 里仁》）

勞而不怨
子曰事父母幾諫見志不從又敬不違
勞而不怨
遊必有方
子曰父母在不遠遊遊必有方
入事父兄
子曰出則事公卿入則事父兄喪事不
敢不勉不爲酒困何有於我哉

劳而不怨

子曰：“事父母几谏。见志不从，又敬不违，劳而不怨。”

（《论语 · 里仁》）

游必有方

子曰：“父母在，不远游，游必有方。”

（《论语 · 里仁》）

入事父兄

子曰：“出则事公卿，入则事父兄。丧事不敢不勉，不为酒困，何有于我哉？”

（《论语 · 子罕》）

战国

孟母教子

孟母，孟子的母亲，为给孟子提供良好的教育环境，曾三迁其家。孟子（约前三七二—前二八九年），名轲，邹（今山东邹城）人。孟子是孔子之孙孔伋的再传弟子，战国时期思想家、政治家，儒家学派的代表人物，与孔子并称『孔孟』。著有《孟子》一书。

斷織教子

孟子少時誦其母方織孟子輟然中止乃復進其母知其喧也呼而問之何爲中止對曰有所失復得其母引刀裂其織以此誡之自是之後孟子不復喧矣

孟母教子

断织教子

孟子少时，诵，其母方织。孟子辍然中止，乃复进。其母知其喧也，呼而问之："何为中止？"对曰："有所失复得。"其母引刀裂其织，以此诫之。自是之后，孟子不复喧矣。

（《韩诗外传》）

孟子妙喻揠苗助長

宋人有閔其苗之不長而揠之者，芒芒然歸，謂其人曰：今日病矣，予助苗長矣。其子趨而往視之，苗則槁矣。天下之不助苗長者寡矣。以為無益而舍之者，不耘苗者也；助之長者，揠苗者也。非徒無益，而又害之。

孟子妙喻 揠苗助长

宋人有闵其苗之不长而揠之者，芒芒然归，谓其人曰："今日病矣！予助苗长矣！"其子趋而往视之，苗则槁矣。

天下之不助苗长者寡矣。以为无益而舍之者，不耘苗者也；助之长者，揠苗者也，非徒无益，而又害之。

（《孟子·公孙丑上》）

觸龍忠告

触龙，一作触詟，生卒年不详，战国时赵国大臣，官左师。赵孝成王新立，太后掌权，秦急攻赵。赵求救于齐。齐欲以太后所爱少子长安君为质，太后不肯。触龙进谏说服太后，太后为其所动，即遣长安君入齐为质。

父母之愛子也，則爲之計深遠。豈人主之子孫則必不善哉？位尊而無功，奉厚而無勞，而挾重器多也。今媪尊長安君之位，而封之以膏腴之地，多予之重器，而不及今令有功于國。一旦山陵崩，長安君何以自托于趙？老臣以媪爲長安君計短也，故以爲其愛不若燕后。

触龙忠告

父母之爱子也，则为之计深远……岂人主之子孙则必不善哉？位尊而无功，奉厚而无劳，而挟重器多也。今媪尊长安君之位，而封之以膏腴之地，多予之重器，而不及今令有功于国，一旦山陵崩，长安君何以自托于赵？老臣以媪为长安君计短也，故以为其爱不若燕后。

（节选《战国策·赵策·触龙说赵太后》）

汉

劉邦手敕太子

刘邦，汉高祖（前二五六或前二四七—前一九五年），沛县丰邑（今江苏丰县）人，汉朝开国皇帝。他知人善任，能充分发挥部下的才能，降秦败楚，统一天下。公元前二〇二年，即皇帝位，定都长安，史称西汉。制定《汉律》九章，建立中央集权。

吾遭亂世當秦禁學自喜謂讀書無益
洎踐祚以來時方省書乃使人知作者
之意追思昔所行多不是吾生不學書
但讀書問字而遂知耳以此故不大工
然亦足自辭解今視汝書猶不如吾汝

刘邦手敕太子

吾遭乱世，当秦禁学，自喜，谓读书无益。洎践祚以来，时方省书，乃使人知作者之意，追思昔所行，多不是。

吾生不学书，但读书问字而遂知耳。以此故不大工，然亦足自辞解。今视汝书，犹不如吾，汝

可勤學習每上疏宜自書勿使人也汝見蕭曹張陳諸公侯吾同時人也倍年於汝者皆拜並語于汝諸弟

可勤学习。每上疏，宜自书，勿使人也。汝见萧、曹、张、陈诸公侯，吾同时人也，倍年于汝者，皆拜，并语于汝诸弟。

（节选《前汉文》卷一）

劉向戒子

刘向（约前七七—前六年），原名更生，字子政，沛县（今属江苏）人，西汉经学家、目录学家、文学家。汉成帝时，任光禄大夫，终中垒校尉。今存《洪范五行传》《新序》《说苑》《列女传》等书，明人辑为《刘中垒集》。

戒子歆書

告歆無忽若未有異德蒙恩甚厚將何以報董生有云弔者在門賀者在閭言有憂則恐懼敬事敬事則必有善功而福至也又曰賀者在門弔者在閭言受

刘向戒子

戒子歆书

告歆无忽：若未有异德，蒙恩甚厚，将何以报？董生有云："吊者在门，贺者在闾。"言有忧则恐惧敬事，敬事则必有善功而福至也。又曰："贺者在门，吊者在闾。"言受

福則驕奢驕奢則禍至故弔隨而來齊
頃公之始藉霸者之餘威輕侮諸侯虧
跂蹇之容故被鞍之禍遁服而亡所謂
賀者在門弔者在閭也兵敗師破人皆
弔之恐懼自新百姓愛之諸侯皆歸其
所奪邑所謂弔者在門賀者在閭也今
若年少得黃門侍郎要顯處也新拜皆
謝貴人叩頭謹戰戰慄慄乃可必免也

福则骄奢，骄奢则祸至，故吊随而来。

齐顷公之始，藉霸者之余威，轻侮诸侯，亏跂蹇之容，故被鞍之祸，遁服而亡。所谓“贺者在门，吊者在闾”也。兵败师破，人皆吊之，恐惧自新，百姓爱之，诸侯皆归其所夺邑，所谓“吊者在门，贺者在闾”也。

今若年少，得黄门侍郎，要显处也。新拜，皆谢贵人叩头，谨战战栗栗，乃可必免也。

（《全汉文》卷三十六）

馬援家訓

誡兄子嚴敦書

吾欲汝曹聞人過失如聞父母之名耳可得聞而口不可得言也好論議人長短妄是非正法此吾所大惡也寧死不願聞子孫有此行也汝曹知吾惡之甚

马援（前一四－四九年），字文渊，扶风茂陵（今陕西兴平东北）人。新莽末年，为新城大尹（汉中太守），后为陇右军阀隗嚣的属下，继归刘秀，为刘秀统一天下立下战功。建武十七年，任伏波将军，封新息侯，被人尊称为『马伏波』。

马援家训

诫兄子严敦书

吾欲汝曹闻人过失，如闻父母之名，耳可得闻，而口不可得言也。好论议人长短，妄是非正法，此吾所大恶也，宁死，不愿闻子孙有此行也。汝曹知吾恶之甚矣所以復言者施衿結縭申父母之戒欲使汝曹不忘之耳龍伯高敦厚周慎口無擇言謙約節儉廉公有威吾愛之重之願汝曹效之杜季良豪俠好義憂人之憂樂人之樂清濁無所失父喪致客數郡畢至吾愛之重之不願汝曹效也效伯高不得猶為謹敕之士所謂刻鵠不成尚類鶩者也效季良不得陷為天下輕薄子所謂畫虎不成反類狗者

矣，所以复言者，施衿结缡，申父母之戒，欲使汝曹不忘之耳。

龙伯高敦厚周慎，口无择言，谦约节俭，廉公有威。吾爱之重之，愿汝曹效之。杜季良豪侠好义，忧人之忧，乐人之乐，清浊无所失。父丧致客，数郡毕至。吾爱之重之，不愿汝曹效也。效伯高不得，犹为谨敕之士，所谓刻鹄不成尚类鹜者也。效季良不得，陷为天下轻薄子，所谓画虎不成反类狗者

也迄今季良尚未可知郡將下車輒切齒州郡以為言吾常為寒心是以不願子孫效也

也。迄今季良尚未可知，郡将下车辄切齿，州郡以为言，吾常为寒心，是以，不愿子孙效也。

（《全后汉文》卷十七）

鄭玄家訓

戒子益恩書

玄後嘗疾篤，自慮，以書戒子益恩曰：吾家舊貧，為父母群弟所容，去廝役之吏，遊學周秦之都，往來幽并兗豫之域，獲覲乎在位通人、處逸大儒，得意者咸從

郑玄（一二七—二〇〇年），字康成，北海高密（今山东潍坊）人，东汉末年儒家学者、经学大师。他遍注儒家经典，以毕生精力整理古代文化遗产，使经学进入了一个『小统一时代』。著有《天文七政论》《中侯》等书，共百万余言。

郑玄家训

戒子益恩书

玄后尝疾笃，自虑，以书戒子益恩。曰：吾家旧贫，（不）为父母群弟所容，去厮役之吏，游学周、秦之都，往来幽、并、兖、豫之域，获觐乎在位通人，处逸大儒，得意者咸从

捧手有所受焉遂博稽六藝粗覽傳記
時睹秘書緯術之興年過四十乃歸供
養假田播殖以娛朝夕遇閹尹擅勢坐
黨禁錮十有四年而蒙赦令舉賢良方
正有道辟大將軍三司府公車再召比
牒並名早為宰相惟彼數公懿德大雅
克堪王臣故宜式序吾自忖度無任於
此但念述先聖之元意思整百家之不
齊亦庶幾以竭吾才故聞命罔從而黃

捧手，有所受焉。遂博稽六艺，粗览传记，时睹秘书纬术之奥。年过四十，乃归供养，假田播殖，以娱朝夕。

遇阉尹擅势，坐党禁锢，十有四年，而蒙赦令，举贤良方正有道，辟大将军、三司府。公车再召，比牒并名，早为宰相。惟彼数公，懿德大雅，克堪王臣，故宜式序。吾自忖度，无任于此。但念述先圣之元意，思整百家之不齐，亦庶几以竭吾才，故闻命罔从。而黄

中為唐萍浮南北復歸邦鄉入此歲來已七十矣宿素衰落仍有失誤寮之禮典便合傳家今我告爾以老歸爾以事將閒居以安性覃思以終業自非拜國君之命問族親之憂展敬墳墓觀省野物胡嘗扶杖出門乎家事大小汝一承之諾爾煢煢一夫曾無同生相依其勖求君子之道研鑽勿替敬慎威儀以近有德顯譽成於僚友德行立於己志若

巾为害，萍浮南北，复归邦乡。入此岁来，已七十矣。

宿素衰落，仍有失误，案之礼典，便合传家。今我告尔以老，归尔以事，将闲居以安性，覃思以终业。自非拜国君之命、问族亲之忧、展敬坟墓、观省野物，胡尝扶杖出门乎？家事大小，汝一承之。

咨尔茕茕一夫，曾无同生相依。其勖求君子之道，研钻勿替，敬慎威仪，以近有德。显誉成于僚友，德行立于己志。若

致聲稱亦有榮於所生可不深念耶可
不深念耶吾雖無紱冕之緒頗有讓爵
之高自樂以論贊之功庶不遺後人之
羞末所憤憤者徒以亡親墳壟未成所
好群書率皆腐敝不得於禮堂寫定傳
與其人日西方暮其可圖乎家今差多
於昔勤力務時無恤飢寒菲飲食薄衣
服節夫二者尚令吾寡恨若忽忘不識
亦已焉哉

致声称，亦有荣于所生，可不深念耶，可不深念耶！

吾虽无绂冕之绪，颇有让爵之高，自乐以论赞之功，庶不遗后人之羞。末所愤愤者，徒以亡亲坟垄未成，所好群书，率皆腐敝，不得于礼堂写定，传与其人。日西方暮，其可图乎？

家今差多于昔，勤力务时，无恤饥寒。菲饮食，薄衣服，节夫二者，尚令吾寡恨。若忽忘不识，亦已焉哉。

（《后汉书》卷三十五《郑玄传》）

三国

劉備誡子

刘备（一六一—二二三年），字玄德，东汉末年幽州涿郡（今河北涿州）人，西汉中山靖王刘胜的后代。于二〇八年与孙权联盟，在赤壁之战中击败曹操，而后进取益州，建立蜀汉政权。章武元年（二二一年），刘备在成都称帝，史称蜀或蜀汉。

遺詔敕後主

朕初疾但下痢耳後轉雜他病殆不自濟人五十不稱夭年已六十有餘何所復恨不復自傷但以卿兄弟為念射君到說丞相歎卿智量甚大增修過於所

刘备诫子

遗诏敕后主

朕初疾但下痢耳，后转杂他病，殆不自济。人五十不称夭，年已六十有余，何所复恨，不复自伤，但以卿兄弟为念。射君到，说丞相叹卿智量，甚大增修，过于所望審能如此吾復何憂勉之勉之勿以惡小而為之勿以善小而不為惟賢惟德能服於人汝父德薄勿效之可讀漢書禮記閒暇歷觀諸子及六韜商君書益人意智聞丞相爲寫申韓管子六韜一通已畢未送道亡可自更求聞達

望，审能如此，吾复何忧！勉之，勉之！勿以恶小而为之，勿以善小而不为。惟贤惟德，能服于人。汝父德薄，勿效之。可读《汉书》《礼记》，闲暇历观诸子及《六韬》《商君书》，益人意智。闻丞相为写《申》《韩》《管子》《六韬》一通已毕，未送，道亡，可自更求闻达。

（《三国志》卷三十二《先主传》注）

諸葛亮家訓

诸葛亮（一八一—二三四年），字孔明，号卧龙（也作伏龙），徐州琅琊阳都（今山东沂南）人，三国时期政治家、军事家。提出联吴抗曹主张，辅佐刘备占领荆益，建立蜀汉政权，任丞相。当政期间，励精图治，推行屯田，发展经济。

誡子書

夫君子之行靜以修身儉以養德非澹
泊無以明志非寧靜無以致遠夫學須
靜也才須學也非學無以廣才非志無
以成學慆慢則不能勵精險躁則不能
治性年與時馳意與日去遂成枯落多
不接世悲守窮廬將復何及

诸葛亮家训

诫子书

夫君子之行，静以修身，俭以养德。非澹泊无以明志，非宁静无以致远。夫学须静也，才须学也；非学无以广才，非志无以成学。慆慢则不能励精，险躁则不能治性。年与时驰，意与日去，遂成枯落，多不接世，悲守穷庐，将复何及！

戒外甥書

夫志當存高遠慕先賢絶情欲棄疑滞
使庶幾之志揭然有所存惻然有所感
忍屈伸去細碎廣諮問除嫌吝雖有淹
留何損於美趣何患於不濟若志不强
毅意不慷慨徒碌碌滞於俗默默束於
情永竄伏於凡庸不免於下流矣

戒外甥书

夫志当存高远。慕先贤，绝情欲，弃疑滞。使庶几之志，揭然有所存，恻然有所感。忍屈伸，去细碎，广咨问，除嫌吝，虽有淹留，何损于美趣，何患于不济？若志不强毅，意不慷慨，徒碌碌滞于俗，默默束于情，永窜伏于凡庸，不免于下流矣。

（《全三国文》卷五十九）

王昶家訓

王昶（？—二五九年），字文舒，晋阳（今山西太原）人，东汉代郡太守王泽之子，三国后期曹魏大臣、将领。曹睿丕即位前为太子文学，即位后历任散骑侍郎、兖州刺史等职，明帝曹叡即位之后，升任扬烈将军，封关内侯，后迁征南将军。

知足常樂

夫富貴聲名人情所樂而君子或得而不處何也惡不由其道耳愚人知進而不知退知欲而不知足故有困辱之累悔吝之咎語曰如不知足則失所欲故

王昶家训

知足常乐

夫富贵声名，人情所乐，而君子或得而不处，何也?恶不由其道耳。愚人知进而不知退，知欲而不知足，故有困辱之累，悔吝之咎。语曰：“如不知足，则失所欲。”故知足之足常足矣覽往事之成敗察將來之吉凶未有干名要利欲而不厭而能保世持家求全福祿者也欲使汝曹立身行己遵儒者之教履道家之言故以玄默沖虛為名欲使汝曹顧名思義不敢違越也古者盤盂有銘几杖有誡俯仰察焉用無過行況在己名可不戒之哉

知足之足常足矣。览往事之成败，察将来之吉凶，未有干名要利，欲而不厌，而能保世持家，求全福禄者也。欲使汝曹立身行己，遵儒者之教，履道家之言，故以玄默冲虚为名；欲使汝曹顾名思义，不敢违越也。古者盘盂有铭，几杖有诫，俯仰察焉，用无过行；况在己名，可不戒之哉！

（《三国志》卷二十七《王昶传》）

嵇康家訓

嵇康（二二四—二六三年），字叔夜，谯郡铚县（今安徽宿县西南）人，三国曹魏时思想家、文学家。正始末年与阮籍等竹林名士共倡玄学新风。嵇康善文，工于诗，风格清峻。他注重养生，曾著《养生论》，有《嵇康集》传世。

人無志非人也但君子用心所欲準行自當量其善者必擬議而後動若志之所之則口與心誓守死無二恥躬不逮期於必濟若心疲體解或牽於外物或累於內欲不堪近患不忍小情則議於

嵇康家训

人无志，非人也。但君子用心，所欲准行。自当量其善者，必拟议而后动。若志之所之，则口与心誓，守死无二。耻躬不逮，期于必济。

若心疲体懈，或牵于外物，或累于内欲，不堪近患，不忍小情，则议于

去就議於去就則二心交爭二心交爭
則向所以見役之情勝矣或有中道而
廢或有不成一簣而敗之以之守則不
固以之攻則怯弱與之誓則多違與之
謀則善泄臨樂則肆情處逸則極意故
雖繁華熠耀無結秀之勳終年之勤無
一旦之功斯君子所以歎息也
凡行事先自審其可不差於宜宜行此
事而人欲易之當說宜易之理若使彼

去就；议于去就，则二心交争；二心交争，则向所以见役之情胜矣！或有中道而废，或有不成一篑而败之。以之守则不固，以之攻则怯弱；与之誓则多违，与之谋则善泄；临乐则肆情，处逸则极意。故虽繁华熠耀，无结秀之勋；终年之勤，无一旦之功。斯君子所以叹息也。

凡行事先自审其可，不差于宜，宜行此事，而人欲易之，当说宜易之理。若使彼語殊佳者勿羞所務非也若其理不足而更以情求來守人雖復云云當堅執所守此又秉志之一隅也不須行小小束脩之意氣若見窮乏而有可以賑濟者便見義而作若人從我欲有所求先自思省若有所損廢多於今日所濟之義少則當權其輕重而拒之雖復守辱不已猶當絕之然大率人之告求皆彼無我有故來求我此為與之多也自

语殊佳者，勿羞折遂非也；若其理不足，而更以情求来守。人虽复云云，当坚执所守，此又秉志之一隅也。不须行小小束脩之意气，若见穷乏而有可以赈济者，便见义而作。若人从我，欲有所求，先自思省；若有所损废，多于今日，所济之义少，则当权其轻重而拒之。虽复守辱不已，犹当绝之。然大率人之告求，皆彼无我有，故来求我，此为与之多也。自

不知此而為輕竭不忍面言強副小情
未為有志也
夫言語君子之機機動物應則是非之
形著矣故不可不慎若於意不善了而
本意欲言則當懼有不了之失且權忍
之後視向不言此事無他不可則向言
或有不可然則能不言全得其可矣外
榮華則少欲自非至急終無求欲上美
也不須作小小卑恭當大謙裕不須作

不如此，而为轻竭。不忍面言，强副小情，未为有志也。

夫言语，君子之机，机动物应，则是非之形著矣，故不可不慎。若于意不善了，而本意欲言，则当惧有不了之失，且权忍之。后视向不言此事，无他不可，则向言或有不可，然则能不言，全得其可矣。外荣华则少欲，自非至急，终无求欲，上美也。不须作小小卑恭，当大谦裕；不须作小小廉耻當全大讓若臨朝讓官臨義讓生若孔文舉求代兄死此忠臣烈士之節凡人自有公私慎勿強知人知彼知我知之則有忌於我今知而不言則便是不知矣若見竊語私議便舍起勿使忌人也或時逼迫強與我共說若其言邪險則當正色以道義正之何者君子不容偽薄之言故也

匹帛之饋車服之贈當深絕之何者常

小小廉耻，当全大让。若临朝让官，临义让生，若孔文举求代兄死，此忠臣烈士之节。凡人自有公私，慎勿强知人知；彼知我知之，则有忌于我。今知而不言，则便是不知矣。若见窃语私议，便舍起，勿使忌人也。或时逼迫，强与我共说。若其言邪险，则当正色以道义正之。何者？君子不容伪薄之言故也。

匹帛之馈，车服之赠，当深绝之。何者？常

人皆尊義而重利今以自竭者必有為而作饕貨徼歡施而求報其俗人之所甘願而君子之所大惡也

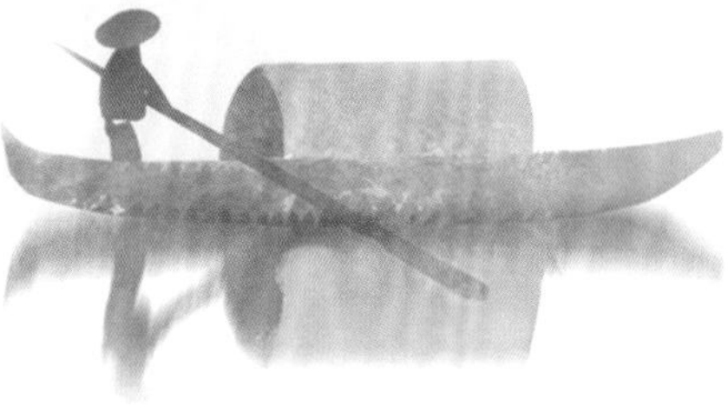

人皆薄义而重利，今以自竭者，必有为而作，鬻货徼欢，施而求报，其俗人之所甘愿，而君子之所大恶也。

（《全三国文》卷五十一）

晋

李暠家訓

李暠（三五一—四一七年），字玄盛，小字长生，陇西狄道（今甘肃临洮南）人。隆安四年（四〇〇年），李暠自称大将军、护羌校尉、秦凉二州牧、凉公，改元庚子，建立西凉政权。义熙元年（四〇五年），改元建初，遣使奉表东晋，并迁都酒泉。

手令誡諸子

吾自立身不營世利經涉累朝通否任
時初不役智有所要求今日之舉非本
願也然事會相驅遂荷州土憂責不輕
門戶事重雖詳人事未知天心登車理

李暠家训

手令诫诸子

吾自立身，不营世利；经涉累朝，通否任时；初不役智，有所要求；今日之举，非本愿也。然事会相驱，遂荷州土，忧责不轻，门户事重。虽详人事，未知天心；登车理譬百慮填胸後事付汝等粗舉旦夕近事數條遭意便言不能次比至於杜漸防萌深識情變此當任汝所見深淺非吾敕誡所益也汝等雖年未至大若能克己纂修比之古人亦可以當事業矣苟其不然雖至白首亦復何成汝等其戒之慎之

節酒慎言喜怒必思愛而知惡憎而知善動念寬恕審而後舉眾之所惡勿輕

辔，百虑填胸。后事付汝等，粗举旦夕近事数条，遭意便言，不能次比。至于杜渐防萌，深识情变，此当任汝所见深浅，非吾敕诫所益也。

汝等虽年未至大，若能克己纂修，比之古人，亦可以当事业矣！苟其不然，虽至白首，亦复何成！汝等其戒之，慎之！节酒慎言，喜怒必思；爱而知恶，憎而知善；动念宽恕，审而后举。众之所恶，勿轻承信詳審人核真偽遠佞諛近忠正蠲刑獄忍煩擾存高年恤喪病勤省案聽訟訴刑法所應和顏任理慎勿以情輕加聲色賞勿漏疏罰勿容親耳目人間知外患苦禁禦左右無作威福勿伐善施勞逆詐億必以示己明廣加諮詢無自專用從善如順流去惡如探湯富貴而不驕者至難也念此貫心勿忘須臾僚佐邑宿盡禮承敬宴饗饌食事事留

承信。详审人，核真伪；远佞谀，近忠正；蠲刑狱，忍烦扰；存高年，恤丧病；勤省案，听讼诉。刑法所应，和颜任理，慎勿以情轻加声色。赏勿漏疏，罚勿容亲。耳目人间，知外患苦；禁御左右，无作威福。勿伐善施劳，逆诈臆必以示己明；广加咨询，无自专用。从善如顺流，去恶如探汤，富贵而不骄者，至难也。念此贯心，勿忘须臾。僚佐邑宿，尽礼承敬，宴飨馔食，事事留

懷古今成敗不可不知退朝之暇念觀
典籍面牆而立不成人也

勖諸子

吾負荷艱難學濟之勳未建雖外總良
能憑股肱之力而戎務孔殷坐而待旦
以維城之固宜兼親賢故使汝等未及
師保之訓皆弱年受任常懼弗克以貽
咎悔古今之事不可以不知苟近而可

怀。古今成败，不可不知。退朝之暇，念观典籍；面墙而立，不成人也。

勖诸子

吾负荷艰难，宁济之勋未建，虽外总良能，凭股肱之力，而戎务孔殷，坐而待旦。以维城之固，宜兼亲贤，故使汝等未及师保之训，皆弱年受任。常惧弗克，以贻咎悔。古今之事，不可以不知。常讽而可師何必遠也覽諸葛亮訓勵應璩奏諫尋其終始周孔之教盡在中矣為國足以致安立身足以成名質略易通寓目則了雖言發往人道師於此且經史道德如采藪中原勤之者則功多汝等可不勉哉

师，何必远也？览诸葛亮训励、应璩奏谏，寻其终始，周、孔之教尽在中矣。为国足以致安，立身足以成名，质略易通，寓目则了，虽言发往人，道师于此。且经史道德，如采菽中原，勤之者则功多，汝等可不勉哉！

（节选自《晋书》卷八十七《凉武昭王李玄盛传》）

陶淵明家訓

陶渊明（三六五或三七二—四二七年），字元亮，又名潜，世称靖节先生，浔阳柴桑（今江西九江）人。东晋末至南朝宋初期伟大的诗人、辞赋家。曾任江州祭酒、镇军参军、彭泽县令等职。长于诗文辞赋，著有《陶渊明集》。

與子儼等疏

告儼俟份佚佟天地賦命生必有死自
古聖賢誰能獨免子夏有言曰死生有
命富貴在天四友之人親受音旨發斯
談者將非窮達不可妄求壽夭永無外

陶渊明家训

与子俨等疏

告俨、俟、份、佚、佟：天地赋命，生必有死，自古圣贤，谁能独免？子夏有言曰：“死生有命，富贵在天。”四友之人，亲受音旨，发斯谈者，将非穷达不可妄求，寿夭永无外

請故耶
吾年過五十少而窮苦每以家弊東西
游走性剛才拙與物多忤自量為己必
貽俗患僶俛辭世使汝等幼而飢寒余
嘗感孺仲賢妻之言敗絮自擁何慚兒
子此既一事矣
但恨鄰靡二仲室無萊婦抱茲苦心良
獨內愧少學琴書偶愛閒靜開卷有得
便欣然忘食見樹木交蔭時鳥變聲亦

请故耶？

吾年过五十，少而穷苦，每以家弊，东西游走。性刚才拙，与物多忤。自量为己，必贻俗患。僶俛辞世，使汝等幼而饥寒。余尝感孺仲贤妻之言，败絮自拥，何惭儿子？此既一事矣。但恨邻靡二仲，室无莱妇，抱兹苦心，良独内愧。少学琴书，偶爱闲静，开卷有得，便欣然忘食。见树木交荫，时鸟变声，亦

復歡然有喜嘗言五六月中北窗下臥
遇涼風暫至自謂是羲皇上人意淺識
罕謂斯言可保日月遂往機巧好疏緬
求在昔眇然如何
疾患以來漸就衰損親舊不遺每以藥
石見救自恐大分將有限也汝輩稚小
家貧每役柴水之勞何時可免念之在
心若何可言然汝等雖不同生當思四
海皆兄弟之義鮑叔管仲分財無猜歸

复欢然有喜。尝言五六月中，北窗下卧，遇凉风暂至，自谓是羲皇上人。意浅识罕，谓斯言可保。日月遂往，机巧好疏。缅求在昔，眇然如何！

疾患以来，渐就衰损。亲旧不遗，每以药石见救，自恐大分将有限也。汝辈稚小家贫，每役柴水之劳，何时可免？念之在心，若何可言！然汝等虽不同生，当思四海皆兄弟之义。鲍叔、管仲，分财无猜；归

生伍舉班荊道舊遂能以敗爲成因喪
立功他人尚爾況同父之人哉
潁川韓元長漢末名士身處卿佐八十
而終兄弟同居至於沒齒濟北氾稚春
晉時操行人也七世同財家人無怨色
詩曰高山仰止景行行止雖不能爾至
心尚之汝其慎哉吾復何言

生、伍举，班荆道旧；遂能以败为成，因丧立功。他人尚尔，况同父之人哉！

颍川韩元长，汉末名士，身处卿佐，八十而终，兄弟同居，至于没齿。济北氾稚春，晋时操行人也，七世同财，家人无怨色。《诗》曰：“高山仰止，景行行止。”虽不能尔，至心尚之。汝其慎哉，吾复何言！

（《陶渊明集》）

南北朝

蕭嶷家訓

萧嶷（四四四—四九二年），豫章文献王，字宣俨，南北朝时期南齐高帝萧道成第二子，齐武帝萧赜之同母弟。其为人宽厚宏雅，有大成之量，得其父钟爱。历太学博士、长城令；又为中书监、司空；齐武帝即位，升为太尉；领太子太傅。

篤睦爲先

嶷常戒諸子曰凡富貴少不驕奢以約失之者鮮矣漢世以來侯王子弟以驕恣之故大者滅身喪族小者削奪邑地可不戒哉嶷臨終召子廉子恪曰吾無

萧嶷家训

笃睦为先

嶷常戒诸子曰："凡富贵少不骄奢，以约失之者鲜矣。汉世以来，侯王子弟以骄恣之故，大者灭身丧族，小者削夺邑地，可不戒哉？"嶷临终，召子廉、子恪曰："吾无

後當共相勉勵篤睦為先才有優劣
有通塞運有富貧此自然之理無足以
相陵侮勤學行守基業修閨庭尚閑素
如此足無憂患

后，当共相勉励，笃睦为先。才有优劣，位有通塞，运有富贫，此自然之理，无足以相陵侮。勤学行，守基业，修闺庭，尚闲素，如此足无忧患。”

（《南史》卷四十二《［齐］豫章文献王［萧］嶷传》）

楊椿家訓

杨椿（四五五—五三一年），字延寿，北魏政治人物，杨懿之子，生于北魏文成帝兴光二年。弟杨顺为冀州刺史，从子杨侃为北中郎将。杨椿足智多谋，官至太保。永安二年（五二九年）八月致仕归乡，卒于北魏节闵帝普泰元年（五三一年）。

我家入魏之始即為上客自爾至今二十年二千石方伯不絶祿恤甚多至於親姻知故吉凶之際必厚加贈襚來往賓僚必以酒肉飲食是故親姻朋友無憾焉國家初丈夫好服綵色吾雖不記

杨椿家训

我家入魏之始，即为上客……自尔至今二十年，二千石、方伯不绝，禄恤甚多。至于亲姻知故，吉凶之际，必厚加赠襚，来往宾僚，必以酒肉饮食，是故亲姻朋友无憾焉。国家初，丈夫好服彩色，吾虽不记上谷翁時事然記清河翁時服飾恒見翁著布衣韋帶常約敕諸父曰汝等後世脫若富貴於今日者慎勿積金一斤綵帛百匹以上用爲富也又不聽治生求利又不聽與勢家作婚姻至吾兄弟不能遵奉今汝等服乘以漸華好吾是以知恭儉之德漸不如上世也又吾兄弟若在家必同盤而食若有近行不至必待其還亦有過中不食忍飢相待吾

上谷翁时事，然记清河翁时服饰，恒见翁着布衣韦带，常约敕诸父曰：“汝等后世，脱若富贵于今日者，慎勿积金一斤、彩帛百匹以上，用为富也。”又不听治生求利，又不听与势家作婚姻。至吾兄弟，不能遵奉。今汝等服乘，以渐华好，吾是以知恭俭之德，渐不如上世也。又吾兄弟，若在家，必同盘而食；若有近行不至，必待其还；亦有过中不食，忍饥相待。吾

兄弟八人今存者有三是故不忍別食
也又願畢吾兄弟世不異居異財汝等
眼見非爲虛假如聞汝等兄弟時有別
齋獨食者此又不如吾等一世也吾今
日不爲貧賤然居住舍宅不作壯麗飾
者正慮汝等後世不賢不能保守之將
爲勢家所奪
吾自惟文武才藝門望姻援不勝他人
一旦位登侍中尚書四歷九卿十爲刺

兄弟八人，今存者有三，是故不忍别食也。又愿毕吾兄弟世，不异居异财。汝等眼见，非为虚假。如闻汝等兄弟，时有别斋独食者，此又不如吾等一世也。吾今日不为贫贱，然居住舍宅，不作壮丽饰者，正虑汝等后世不贤，不能保守之，将为势家所夺……

吾自惟文武才艺、门望姻援不胜他人。一旦位登侍中、尚书，四历九卿，十为刺

史光祿大夫儀同開府司徒太保津今
復為司空者正由忠貞小心謹慎口不
嘗論人過無貴無賤待之以禮以是故
至此耳聞汝等學時俗人乃有坐而待
客者有驅馳勢門者有輕論人惡者及
見貴勝則敬重之見貧賤則慢易之此
人行之大失立身之大病也汝家仕皇
魏以來高祖以下乃有七郡太守三十
二州刺史內外顯職時流少比汝等若

史、光禄大夫、仪同、开府、司徒、太保，津今复为司空者，正由忠贞，小心谨慎。口不尝论人过，无贵无贱，待之以礼，以是故至此耳。闻汝等学时俗人，乃有坐而待客者，有驱驰势门者，有轻论人恶者。及见贵胜，则敬重之，见贫贱，则慢易之。此人行之大失，立身之大病也。汝家仕皇魏以来，高祖以下乃有七郡太守、三十二州刺史，内外显职，时流少比。汝等若能存禮節不爲奢淫驕慢假不勝人足免尤謗足成名家吾今年始七十五自惟氣力尚堪朝觀天子所以孜孜求退者正欲使汝等知天下滿足之義爲一門法耳非是苟求千載之名也汝等能記吾言吾百年後終無恨矣

能存礼节，不为奢淫骄慢，假不胜人，足免尤诮，足成名家。吾今年始七十五，自惟气力，尚堪朝觐天子，所以孜孜求退者，正欲使汝等知天下满足之义，为一门法耳，非是苟求千载之名也。汝等能记吾言，吾百年后，终无恨矣。

（《魏书》卷五十八《杨播附杨椿传》）

徐勉家训

徐勉（四六六—五三五年），字修仁，东海郯（今山东郯城）人。少孤贫，早励清节。既长，笃志好学。起家国子生，太尉文宪公王俭时为祭酒，每称勉有宰辅之量。射策举高第，补西阳王国侍郎。梁朝建立后，拜中书侍郎、吏部尚书，累官至中书令。其《诫子书》为世传诵。

吾家世清廉故常居貧素至於產業之事所未嘗言非直不經營而已薄躬遭逢遂至今日尊官厚祿可謂備之每念叨竊若斯豈由才致仰藉先代風範及以福慶故臻此耳古人所謂以清白遺

徐勉家训

吾家世清廉，故常居贫素，至于产业之事，所未尝言，非直不经营而已。薄躬遭逢，遂至今日，尊官厚禄，可谓备之。每念叨窃若斯，岂由才致？仰藉先代风范，及以福庆，故臻此耳。古人所谓“以清白遗

子孫不亦厚乎又云遺子黄金滿籯不
如一經詳求此言信非徒語吾雖不敏
實有本志庶得遵奉斯義不敢墜失所
以顯肅以來將三十載門人故舊亟薦
便宜或使創辟田園或勸興立邸店又
欲舳艫運致亦令貨殖聚斂若此衆事
皆距而不納非謂拔葵去織且欲省息
紛紜夫孝者善繼人之志善述人之事
今且望汝全吾此志則無所恨矣

子孙，不亦厚乎？”又云：“遗子黄金满籯，不如一经。”详求此言，信非徒语。吾虽不敏，实有本志，庶得遵奉斯义，不敢坠失。所以显贵以来，将三十载，门人故旧，亟荐便宜，或使创辟田园，或劝兴立邸店，又欲舳舻运致，亦令货殖聚敛。若此众事，皆距而不纳。非谓拔葵去织，且欲省息纷纭。……夫孝者，善继人之志，善述人之事。今且望汝全吾此志，则无所恨矣！

（《梁书》卷二十五《徐勉传》）

顏之推家訓

序致第一節選

夫聖賢之書教人誠孝慎言檢跡立身揚名亦已備矣魏晉已來所著諸子理重事複遞相模斆猶屋下架屋床上施床耳吾今所以復為此者非敢軌物範

颜之推（五三一—约五九〇年后），字介，原籍琅琊临沂（今山东临沂）人，生于建康（今江苏南京），北齐文学家。初仕梁元帝为散骑侍郎，后投奔北齐，官至黄门侍郎、平原太守。齐亡入周，为御史上士。隋开皇中，太子召为学士。著有《颜氏家训》。

颜之推家训

序致第一（节选）

夫圣贤之书，教人诚孝，慎言检迹，立身扬名，亦已备矣。魏晋已来，所著诸子，理重事复，递相模学，犹屋下架屋、床上施床耳。吾今所以复为此者，非敢轨物范

世也業已整齊門內提撕子孫夫同言
而信信其所親同命而行行其所服禁
童子之暴謔則師友之誡不如傅婢之
指揮止凡人之鬥鬩則堯舜之道不如
寡妻之誨諭吾望此書為汝曹之所信
猶賢于傅婢寡妻耳

吾家風教素為整密昔在齠齔便蒙誘
誨每從兩兄曉夕溫清規行矩步安辭
定色鏘鏘翼翼若朝嚴君焉賜以優言

世也，业已整齐门内，提撕子孙。夫同言而信，信其所亲；同命而行，行其所服。禁童子之暴谑，则师友之诫，不如傅婢之指挥。止凡人之斗阋，则尧舜之道，不如寡妻之诲谕。吾望此书为汝曹之所信，犹贤于傅婢、寡妻耳。

吾家风教，素为整密，昔在龆龀，便蒙诱诲。每从两兄，晓夕温凊，规行矩步，安辞定色，锵锵翼翼，若朝严君焉。赐以优言，問所好尚勵短引長莫不懇篤年始九歲便丁荼蓼家塗離散百口索然慈兄鞠養苦辛備至有仁無威導示不切雖讀禮傳微愛屬文頗為凡人之所陶染肆欲輕言不修邊幅年十八九少知砥礪習若自然卒難洗蕩二十已後大過稀焉每常心共口敵性與情競夜覺曉非今悔昨失自憐無教以至於斯追思平昔之指銘肌鏤骨非徒古書之誡經

问所好尚，励短引长，莫不恳笃。年始九岁，便丁荼蓼，家涂离散，百口索然。慈兄鞠养，苦辛备至；有仁无威，导示不切。虽读礼传，微爱属文，颇为凡人之所陶染；肆欲轻言，不修边幅。年十八九，少知砥砺，习若自然，卒难洗荡。二十已后，大过稀焉；每常心共口敌，性与情竞，夜觉晓非，今悔昨失，自怜无教，以至于斯。追思平昔之指，铭肌镂骨，非徒古书之诫，经

目過耳也故留此二十篇以為汝曹後
車耳

教子第二節選

上智不教而成下愚雖教無益中庸之
人不教不知也古者聖王有胎教之法
懷子三月出居別宮目不邪視耳不妄
聽音聲滋味以禮節之書之玉版藏諸
金匱生子咳㖷師保固明孝仁禮義導

目过耳也。故留此二十篇，以为汝曹后车耳。

教子第二（节选）

上智不教而成，下愚虽教无益，中庸之人，不教不知也。古者，圣王有“胎教”之法：怀子三月，出居别宫，目不邪视，耳不妄听，音声滋味，以礼节之。书之玉版，藏诸金匮。生子咳提，师保固明。孝仁礼义，导

習之矣凡庶縱不能爾當及嬰稚識人
顏色知人喜怒便加教誨使為則為使
止則止比及數歲可省笞罰父母威嚴
而有慈則子女畏慎而生孝矣
吾見世間無教而有愛每不能然飲食
運為恣其所欲宜誡翻獎應呵反笑至
有識知謂法當爾驕慢已習方復制之
捶撻至死而無威忿怒日隆而增怨逮
于成長終為敗德孔子云少成若天性

习之矣。凡庶纵不能尔，当及婴稚，识人颜色，知人喜怒，便加教诲，使为则为，使止则止。比及数岁，可省笞罚。父母威严而有慈，则子女畏慎而生孝矣。吾见世间，无教而有爱，每不能然。饮食运为，恣其所欲，宜诫翻奖，应呵反笑，至有识知，谓法当尔。骄慢已习，方复制之，捶挞至死而无威，忿怒日隆而增怨，逮于成长，终为败德。孔子云：“少成若天性，

習慣如自然是也俗諺曰教婦初來教兒嬰孩誠哉斯語

凡人不能教子女者亦非欲陷其罪惡但重於呵怒傷其顏色不忍楚撻慘其肌膚耳當以疾病為諭安得不用湯藥針艾救之哉又宜思勤督訓者可願苛虐於骨肉乎誠不得已也

父子之嚴不可以狎骨肉之愛不可以簡簡則慈孝不接狎則怠慢生焉由命

习惯如自然”是也。俗谚曰：“教妇初来，教儿婴孩。”诚哉斯语。

凡人不能教子女者，亦非欲陷其罪恶，但重于呵怒伤其颜色，不忍楚挞惨其肌肤耳。当以疾病为谕，安得不用汤药针艾救之哉？又宜思勤督训者，可愿苛虐于骨肉乎？诚不得已也！

父子之严，不可以狎；骨肉之爱，不可以简。简则慈孝不接，狎则怠慢生焉。由命士以上父子異宮此不狎之道也抑搔癢痛懸衾篋枕此不簡之教也或問曰陳亢喜聞君子之遠其子何謂也對曰有是也蓋君子之不親教其子也詩有諷刺之辭禮有嫌疑之誡書有悖亂之事春秋有邪僻之譏易有備物之象皆非父子之可通言故不親授耳

人之愛子罕亦能均自古及今此弊多矣賢俊者自可賞愛頑魯者亦當矜憐

士以上，父子异宫，此不狎之道也；抑搔痒痛，悬衾箧枕，此不简之教也。或问曰："陈亢喜闻君子之远其子，何谓也？"对曰："有是也，盖君子之不亲教其子也。"《诗》有讽刺之辞，《礼》有嫌疑之诫，《书》有悖乱之事，《春秋》有邪僻之讥，《易》有备物之象：皆非父子之可通言，故不亲授耳。

人之爱子，罕亦能均，自古及今，此弊多矣。贤俊者自可赏爱，顽鲁者亦当矜怜。

有偏寵者雖欲以厚之更所以禍之共叔之死毋實為之趙王之戮父實使之劉表之傾宗覆族袁紹之地裂兵亡可為靈龜明鑒也

齊朝有一士大夫嘗謂吾曰我有一兒年已十七頗曉書疏教其鮮卑語及彈琵琶稍欲通解以此伏事公卿無不寵愛亦要事也吾時俯而不答異哉此人之教子也若由此業自致卿相亦不願

有偏宠者，虽欲以厚之，更所以祸之。共叔之死，母实为之；赵王之戮，父实使之。刘表之倾宗覆族，袁绍之地裂兵亡，可为灵龟明鉴也。

齐朝有一士大夫，尝谓吾曰："我有一儿，年已十七，颇晓书疏，教其鲜卑语及弹琵琶，稍欲通解，以此伏事公卿，无不宠爱，亦要事也。"吾时俯而不答。异哉，此人之教子也！若由此业，自致卿相，亦不愿

汝曹為之

夫有人民而後有夫婦有夫婦而後有父子有父子而後有兄弟一家之親此三而已矣自茲以往至於九族皆本於三親焉故于人倫為重者也不可不篤兄弟者分形連氣之人也方其幼也父母左提右挈前襟後裾食則同案衣則傳服學則連業游則共方雖有悖亂之人不能不相愛也及其壯也各妻其妻

汝曹为之。

夫有人民而后有夫妇，有夫妇而后有父子，有父子而后有兄弟，一家之亲，此三而已矣！自兹以往，至于九族，皆本于三亲焉。故于人伦为重者也，不可不笃。

兄弟者，分形连气之人也。方其幼也，父母左提右挈，前襟后裾，食则同案，衣则传服，学则连业，游则共方，虽有悖乱之人，不能不相爱也。及其壮也，各妻其妻，各子其子雖有篤厚之人不能不少衰也娣姒之比兄弟則疏薄矣今使疏薄之人而節量親厚之恩猶方底而圓蓋必不合矣惟友悌深至不為旁人之所移者免夫

治家第五節選

夫風化者自上而行於下者也自先而施於後者也是以父不慈則子不孝兄

各子其子，虽有笃厚之人，不能不少衰也。娣姒之比兄弟，则疏薄矣。今使疏薄之人，而节量亲厚之恩，犹方底而圆盖，必不合矣。惟友悌深至不为旁人之所移者，免夫。

治家第五（节选）

夫风化者，自上而行于下者也，自先而施于后者也。是以父不慈则子不孝，兄不友則弟不恭夫不義則婦不順矣父慈而子逆兄友而弟傲夫義而婦陵則天之凶民乃刑戮之所攝非訓導之所移也笞怒廢於家則豎子之過立見刑罰不中則民無所措手足治家之寬猛亦猶治國焉

孔子曰奢則不孫儉則固與其不孫也寧固又云如有周公之才之美使驕且吝其餘不足觀也已然則可儉而不可

不友则弟不恭，夫不义则妇不顺矣。父慈而子逆，兄友而弟傲，夫义而妇陵，则天之凶民，乃刑戮之所慑，非训导之所移也。笞怒废于家，则竖子之过立见；刑罚不中，则民无所措手足。治家之宽猛，亦犹治国焉。

孔子曰：“奢则不孙，俭则固；与其不孙也，宁固。”又云：“如有周公之才之美，使骄且吝，其余不足观也已。”然则可俭而不可

吝也儉者省約為禮之謂也吝者窮急不恤之謂也今有施則奢儉則吝如能施而不奢儉而不吝可矣

生民之本要當稼穡而食桑麻以衣蔬果之畜園場之所產雞豚之善塒圈之所生爰及棟宇器械樵蘇脂燭莫非種殖之物也至能守其業者閉門而為生之具以足但家無鹽井耳今北土風俗率能躬儉節用以贍衣食江南奢侈多

吝也。俭者，省约为礼之谓也；吝者，穷急不恤之谓也。今有施则奢，俭则吝；如能施而不奢，俭而不吝，可矣。

生民之本，要当稼穑而食，桑麻以衣。蔬果之畜，园场之所产；鸡豚之善，埘圈之所生。爰及栋宇器械，樵苏脂烛，莫非种殖之物也。至能守其业者，闭门而为生之具以足，但家无盐井耳。今北土风俗，率能躬俭节用，以赡衣食；江南奢侈，多

不逮焉

勉學第八節選

自古明王聖帝猶須勤學況凡庶乎此事遍于經史吾亦不能鄭重聊舉近世切要以啟寤汝耳士大夫子弟數歲已上莫不被教多者或至禮傳少者不失詩論及至冠婚體性稍定因此天機倍須訓誘有志尚者遂能磨礪以就素業

不逮焉。

勉学第八（节选）

自古明王圣帝犹须勤学，况凡庶乎？此事遍于经史，吾亦不能郑重，聊举近世切要，以启寤汝耳。士大夫子弟，数岁已上，莫不被教，多者或至礼传，少者不失诗论；及至冠婚，体性稍定， 因此天机，倍须训诱。有志尚者，遂能磨砺，以就素业；

無履立者自茲墮慢便為凡人人生在世會當有業農民則計量耕稼商賈則討論貨賄工巧則致精器用伎藝則沉思法術武夫則慣習弓馬文士則講議經書多見士大夫恥涉農商差務工伎射則不能穿札筆則才記姓名飽食醉酒忽忽無事以此銷日以此終年或因家世餘緒得一階半級便自為足全忘修學及有吉凶大事議論得失蒙然張

无履立者，自兹堕慢，便为凡人。人生在世，会当有业。农民则计量耕稼，商贾则讨论货贿，工巧则致精器用，伎（通技，下同）艺则沉思法术，武夫则惯习弓马，文士则讲议经书。多见士大夫耻涉农商，差务工伎，射则不能穿札，笔则才记姓名，饱食醉酒，忽忽无事，以此销日，以此终年。或因家世余绪，得一阶半级，便自为足，全忘修学，及有吉凶大事，议论得失，蒙然张口如坐雲霧公私宴集談古賦詩塞默低頭欠伸而已有識旁觀代其入地何惜數年勤學長受一生愧辱哉夫明六經之旨涉百家之書縱不能增益德行敦厲風俗猶爲一藝得以自資父兄不可常依鄉國不可常保一旦流離無人庇蔭當自求諸身耳諺曰積財千萬不如薄伎在身伎之易習而可貴者無過讀書也世人不問愚智皆欲識

口，如坐云雾；公私宴集，谈古赋诗，塞默低头，欠伸而已。有识旁观，代其入地。何惜数年勤学，长受一生愧辱哉！

夫明六经之旨，涉百家之书，纵不能增益德行，敦厉风俗，犹为一艺，得以自资。父兄不可常依，乡国不可常保，一旦流离，无人庇荫，当自求诸身耳。谚曰：“积财千万，不如薄伎在身。”伎之易习而可贵者，无过读书也。世人不问愚智，皆欲识人之多見事之廣而不肯讀書是猶求飽而懶營饌欲暖而惰裁衣也夫讀書之人自羲農已來宇宙之下凡識幾人凡見幾事生民之成敗好惡固不足論天地所不能藏鬼神所不能隱也

夫所以讀書學問本欲開心明目利於行耳

夫學者所以求益耳見人讀數十卷書便自高大凌忽長者輕慢同列人疾之

人之多，见事之广，而不肯读书，是犹求饱而懒营馔，欲暖而惰裁衣也。夫读书之人，自羲、农已来，宇宙之下，凡识几人，凡见几事？生民之成败好恶，固不足论，天地所不能藏，鬼神所不能隐也。

夫所以读书学问，本欲开心明目，利于行耳。

夫学者所以求益耳。见人读数十卷书，便自高大，凌忽长者，轻慢同列。人疾之

如仇敵惡之如鴟梟如此以學自損不如無學也

古之學者爲己以補不足也今之學者爲人但能説之也古之學者爲人行道以利世也今之學者爲己修身以求進也夫學者猶種樹也春玩其華秋登其實講論文章春華也修身利行秋實也人生小幼精神專利長成已後思慮散逸固須早教勿失機也學之興廢隨世

如仇敌，恶之如鸱枭。如此以学自损，不如无学也。

古之学者为己，以补不足也；今之学者为人，但能说之也。古之学者为人，行道以利世也；今之学者为己，修身以求进也。夫学者犹种树也，春玩其华，秋登其实。讲论文章，春华也；修身利行，秋实也。人生小幼，精神专利，长成已后，思虑散逸，固须早教，勿失机也。学之兴废，随世輕重。漢時賢俊，皆以一經弘聖人之道，上明天時，下該人事，用此致卿相者多矣。末俗已來不復爾，空守章句，但誦師言，施之世務，殆無一可。

書曰：好問則裕。禮云：獨學而無友，則孤陋而寡聞。蓋須切磋相起明也。見有閉門讀書，師心自是，稠人廣坐，謬誤差失者多矣。

談說制文，援引古昔，必須眼學，勿信耳受。

轻重。汉时贤俊，皆以一经弘圣人之道，上明天时，下该人事，用此致卿相者多矣。末俗已来不复尔，空守章句，但诵师言，施之世务，殆无一可。

《书》曰：“好问则裕。”《礼》云：“独学而无友，则孤陋而寡闻。”盖须切磋相起明也。见有闭门读书，师心自是，稠人广坐，谬误差失者多矣。

谈说制文，援引古昔，必须眼学，勿信耳受。

名實第十

名之與實猶形之與影也德藝周厚則名必善焉容色姝麗則影必美焉今不修身而求令名於世者猶貌甚惡而責妍影於鏡也上士忘名中士立名下士竊名忘名者體道合德享鬼神之福祐非所以求名也立名者修身慎行懼榮

名实第十

名之与实，犹形之与影也。德艺周厚，则名必善焉；容色姝丽，则影必美焉。今不修身而求令名于世者，犹貌甚恶而责妍影于镜也。上士忘名，中士立名，下士窃名。忘名者，体道合德，享鬼神之福祐，非所以求名也；立名者，修身慎行，惧荣

觀之不顯非所以讓名也竊名者厚貌
深奸干浮華之虛稱非所以得名也
人足所履不過數寸然而咫尺之途必
顛蹶於崖岸拱把之梁每沉溺於川谷
者何哉為其旁無餘地故也君子之立
己抑亦如之至誠之言人未能信至潔
之行物或致疑皆由言行聲名無餘地
也吾每為人所毀常以此自責若能開
方軌之路廣造舟之航則仲由之言信

观之不显，非所以让名也，窃名者，厚貌深奸，干浮华之虚称，非所以得名也。

人足所履，不过数寸，然而咫尺之途，必颠蹶于崖岸，拱把之梁，每沉溺于川谷者，何哉？为其旁无余地故也。君子之立己，抑亦如之。至诚之言，人未能信；至洁之行，物或致疑，皆由言行声名，无余地也。吾每为人所毁，常以此自责。若能开方轨之路，广造舟之航，则仲由之言信，

重於登壇之盟趙熹之降城賢於折衝
之將矣

涉務第十一

士君子處世貴能有益於物耳不徒高
談虛論左琴右書以費人君祿位也國
之用材大較不過六事一則朝廷之臣
取其鑒達治體經綸博雅二則文史之
臣取其著述憲章不忘前古三則軍旅

重于登坛之盟；赵熹之降城，贤于折冲之将矣。

涉务第十一

士君子处世，贵能有益于物耳，不徒高谈虚论，左琴右书，以费人君禄位也。国之用材，大较不过六事：一则朝廷之臣，取其鉴达治体，经纶博雅。二则文史之臣，取其著述宪章，不忘前古。三则军旅之臣取其斷決有謀強幹習事四則藩屏之臣取其明練風俗清白愛民五則使命之臣取其識變從宜不辱君命六則興造之臣取其程功節費開略有術此則皆勤學守行者所能辦也人性有長短豈責具美於六途哉但當皆曉旨趣能守一職便無媿耳

吾見世中文學之士品藻古今若指諸掌及有試用多無所堪居承平之世不

之臣，取其断决有谋，强干习事。四则藩屏之臣，取其明练风俗，清白爱民。五则使命之臣，取其识变从宜，不辱君命。六则兴造之臣，取其程功节费，开略有术，此则皆勤学守行者所能办也。人性有长短，岂责具美于六途哉？但当皆晓旨趣，能守一职，便无愧耳。

吾见世中文学之士，品藻古今，若指诸掌；及有试用，多无所堪。居承平之世，不

知有喪亂之禍處廟堂之下不知有戰陣之急保俸祿之資不知有耕稼之苦肆吏民之上不知有勞役之勤故難以應世經務也

古人欲知稼穡之艱難斯蓋貴穀務本之道也夫食為民天民非食不生矣三日不粒父子不能相存耕種之茠鉏之刈穫之載積之打拂之簸揚之凡幾涉手而入倉廩安可輕農事而貴末業哉

知有丧乱之祸；处庙堂之下，不知有战阵之急；保俸禄之资，不知有耕稼之苦；肆吏民之上，不知有劳役之勤，故难以应世经务也。

古人欲知稼穑之艰难，斯盖贵谷务本之道也。夫食为民天，民非食不生矣，三日不粒，父子不能相存。耕种之，薅锄之，刈获之，载积之，打拂之，簸扬之，凡几涉手而入仓廪，安可轻农事而贵末业哉?

（《颜氏家训》）

唐

李世民帝範

李世民，唐太宗（五九八—六四九年），祖籍陇西成纪，是唐高祖李渊的次子，唐朝第二位皇帝。为帝之后，推行均田制、租庸调法，加强对官吏考核，发展科举制度，劝课农桑，使百姓能够休养生息，开创了中国历史上著名的贞观之治。

納諫篇

夫王者高居深視虧聽阻明恐有過而不聞懼有闕而莫補所以設鞀樹木思獻替之謀傾耳虛心佇忠正之說言之而是雖在僕隸芻蕘猶不可棄也言之

李世民帝范

纳谏篇

夫王者，高居深视，亏听阻明。恐有过而不闻，惧有阙而莫补。所以设鼗树木，思献替之谋；倾耳虚心，伫忠正之说。言之而是，虽在仆隶刍荛，犹不可弃也；言之而非雖在王侯卿相未必可容其義可觀不責其辯其理可用不責其文至若折檻懷疏標之以作戒引裾卻坐顯之以自非故云忠者瀝其心智者盡其策臣無隔情於上君能遍照於下

昏主則不然說者拒之以威勸者窮之以罪大臣惜祿而莫諫小臣畏誅而不言恣暴虐之心極荒淫之志其為壅塞無由自知以為德超三皇材過五帝至

而非，虽在王侯卿相，未必可容。其义可观，不责其辩；其理可用，不责其文。至若折槛怀疏，标之以作戒；引裾却坐，显之以自非。故云忠者沥其心，智者尽其策。臣无隔情于上，君能遍照于下。

昏主则不然，说者，拒之以威；劝者，穷之以罪。大臣惜禄而莫谏，小臣畏诛而不言。恣暴虐之心，极荒淫之志。其为壅塞，无由自知。以为德超三皇，才过五帝。至

於身亡國滅豈不悲哉此拒諫之惡也

戒盈篇

夫君者儉以養性靜以修身儉則人不勞靜則下不擾人勞則怨起下擾則政乖人主好奇技淫聲鷙鳥猛獸遊幸無度田獵不時如此則徭役煩徭役煩則人力竭人力竭則農桑廢焉人主好高臺深池雕琢刻鏤珠玉珍玩黼黻絺綌

于身亡国灭，岂不悲哉！此拒谏之恶也。

戒盈篇

夫君者，俭以养性，静以修身。俭则人不劳，静则下不扰。人劳则怨起，下扰则政乖。人主好奇技淫声，鸷鸟猛兽，游幸无度，田猎不时。如此则徭役烦，徭役烦则人力竭，人力竭则农桑废焉。人主好高台深池，雕琢刻镂，珠玉珍玩，黼黻绨绤。

如此则赋敛重赋敛重则人才遗人才遗则饥寒之患生焉乱世之君极其骄奢纵其嗜欲土木衣缇绣而人裋褐不全犬马厌刍豢而人糟糠不足故人神怨愤上下乖离佚乐未终倾危已至此骄奢之忌也

崇俭篇

夫圣世之君存乎节俭富贵广大守之

如此则赋敛重，赋敛重则人才遗，人才遗则饥寒之患生焉。乱世之君，极其骄奢，恣其嗜欲。土木衣缇绣，而人裋褐不全；犬马厌刍豢，而人糟糠不足。故人神怨愤，上下乖离，佚乐未终，倾危已至，此骄奢之忌也。

崇俭篇

夫圣世之君，存乎节俭。富贵广大，守之

以約睿智聰明守之以愚不以身尊而
驕人不以德厚而矜物茅茨不翦采椽
不斫舟車不飾衣服無文土階不崇大
羹不和非憎榮而惡味乃處薄而行儉
故風淳俗樸比屋可封斯二者榮辱之
端奢儉由人安危在己五關近閉則嘉
命遠盈千欲內攻則凶源外發是以丹
桂抱蠹終摧榮耀之芳朱火含煙遂鬱
凌雲之焰以是知驕出於志不節則志

以约；睿智聪明，守之以愚。不以身尊而骄人，不以德厚而矜物。茅茨不剪，采椽不斫，舟车不饰，衣服无文，土阶不崇，大羹不和。非憎荣而恶味，乃处薄而行俭。

故风淳俗朴，比屋可封。斯二者，荣辱之端。奢俭由人，安危在己。五关近闭，则嘉命远盈；千欲内攻，则凶源外发。是以丹桂抱蠹，终摧荣耀之芳；朱火含烟，遂郁凌云之焰。以是知骄出于志，不节则志

傾欲生於心不遏則身喪故桀紂肆情而禍結堯舜約己而福延可不務乎

崇文篇

夫功成設樂治定制禮禮樂之興以儒為本宏風導俗莫尚於文敷教訓人莫善於學因文而隆道假學以光身不臨深溪不知地之厚不游文翰不識智之源然則質蘊吳竿非筈羽不美性懷辨

倾；欲生于心，不遏则身丧。故桀纣肆情而祸结，尧舜约己而福延，可不务乎？

崇文篇

夫功成设乐，治定制礼。礼乐之兴，以儒为本。宏风导俗，莫尚于文；敷教训人，莫善于学。因文而隆道，假学以光身。不临深溪，不知地之厚；不游文翰，不识智之源。然则质蕴吴竿，非筈羽不美；性怀辨

慧非積學不成是以建明堂立辟雍博
覽百家精研六藝端拱而知天下無爲
而鑒古今飛英聲騰茂實光於不朽者
其唯學乎此文術也斯二者遞爲國用
至若長氣亘地成敗定乎筆端巨浪滔
天興亡決乎一陣當此之際則貴干戈
而賤庠序及乎海岳既晏波塵已清偃
七德之餘威敷九功之大化當此之際
則輕甲胄而重詩書是知文武二途舍

慧，非积学不成。是以建明堂，立辟雍。博览百家，精研六艺。端拱而知天下，无为而鉴古今。飞英声，腾茂实，光于不朽者，其惟学乎！此文术也。斯二者，递为国用。

至若长气亘地，成败定乎笔端；巨浪滔天，兴亡决乎一阵。当此之际，则贵干戈，而贱庠序。及乎海岳既晏，波尘已清，偃七德之余威，敷九功之大化。当此之际，则轻甲胄，而重诗书。是知文武二途，舍

一不可與時優劣各有其宜武士儒人

焉可廢也

一不可；与时优劣，各有其宜。武士儒人，焉可废也。

後序

古人有云非知之難惟行之不易行之可勉惟終實難是以暴亂之君非獨明於惡路聖哲之主非獨見於善途良由大道遠而難遵邪徑近而易踐小人皆俯從其易不得力行其難故禍敗及之

后序

古人有云，非知之难，惟行之不易；行之可勉，惟终实难。是以暴乱之君，非独明于恶路；圣哲之主，非独见于善途。良由大道远而难遵，邪径近而易践。小人皆俯从其易，不得力行其难，故祸败及之；

君子勞處其難不能力居其易故福慶流之故知禍福無門惟人所召欲悔非於既往惟慎過於將來擇聖主為師毋以吾為前鑒夫取法於上僅得為中取法於中故為其下自非上德不可效焉吾在位以來所制多矣奇麗服玩錦繡珠玉不絕於前此非防欲也雕楹刻桷高臺深池每興其役此非儉志也犬馬鷹鶻無遠必致此非節心也數有行幸

君子劳处其难，不能力居其易，故福庆流之。故知祸福无门，惟人所召。欲悔非于既往，惟慎过于将来。择工主为师，毋以吾为前鉴。大取法于上，仅得为中；取法于中，故为其下。白非上德，不可效焉。吾在位以来，所制多矣。奇丽服玩，锦绣珠玉，不绝于前，此非防欲也；雕楹刻桷，高台深池，每兴其役，此非俭志也；犬马鹰鹘，尢远必致，此非节心也；数有行幸，

以亟勞人此非屈己也斯數事者吾之
深過也勿以茲為是而後法焉但我濟
育蒼生其益多矣平定寰宇其功大矣
益多損少民不以為怨功大過微德之
未虧然猶之盡美之蹤於焉多愧盡善
之道顧此懷慚況汝無纖毫之功直緣
基而履慶若崇善以廣德則業泰身安
若肆情以縱非則業傾身喪且成遲敗速者國之
基也失易得難者天之位也可不惜哉可不慎哉

以亟劳人，此非屈己也。斯数事者，吾之深过也，勿以兹为是而后法焉。但我济育苍生，其益多矣；平定寰宇，其功大矣。益多损少，民不以为怨；功大过微，德之未亏。然犹之尽美之踪，于焉多愧；尽善之道，顾此怀惭。况汝无纤毫之功，直缘基而履庆，若崇善以广德，则业泰身安；若肆情以纵非，则业倾身丧。且成迟败速者，国之基也；失易得难者，天之位也。可不惜哉！可不慎哉！

（《旧唐书 · 太宗本纪》）

崔玄暐家訓

吾見姨兄屯田郎中辛玄馭云兒子從宦者有人來云貧乏不能存此是好消息若聞資貨充足衣馬輕肥此惡消息吾常重此言以為確論比見親表中仕宦者多將錢物上其父母父母但知喜

崔玄暐（六三九—七〇六年），原名毕（一作晔），字玄暐，博陵安平（今河北安平）人，唐朝宰相。出身于博陵崔氏，早年曾历任库部员外郎、天官郎中、凤阁舍人、天官侍郎、鸾台侍郎，后升任凤阁侍郎、同平章事，成为宰相。后遭排挤，被夺去实权。

崔玄暐家训

吾见姨兄屯田郎中辛玄驭云："儿子从宦者，有人来云贫乏不能存，此是好消息。若闻资货充足，衣马轻肥，此恶消息。"吾常重此言，以为确论。此见亲表中仕宦者，多将钱物上其父母，父母但知喜悅竟不問此物從何而來必是祿俸餘資誠亦善事如其非理所得此與盜賊何別縱無大咎獨不内愧於心孟母不受魚鮓之饋蓋爲此也汝今坐食祿俸榮幸已多若其不能忠清何以戴天履地孔子云雖日殺三牲之養猶爲不孝又曰父母惟其疾之憂特宜修身潔己勿累吾此意也

悦，竟不问此物从何而来。必是禄俸余资，诚亦善事。如其非理所得，此与盗贼何别？纵无大咎，独不内愧于心？孟母不受鱼鲊之馈，盖微此也。汝今坐食禄俸，荣幸已多，若其不能忠清，何以戴天履地？孔子云：“虽日杀三牲之养，犹为不孝。”又曰：“父母惟其疾之忧。”特宜修身洁己，勿累吾此意也。

（《旧唐书》卷九十一《崔玄暐传》）

韓愈家訓

韩愈（七六八—八二四年），字退之，河阳（今河南孟州）人，自称「郡望昌黎」，世称「韩昌黎」。唐代杰出的文学家、哲学家。贞元八年（七九二年）登进士第，曾任国子博士、刑部侍郎等职。被后人尊为「唐宋八大家」之首，著有《韩昌黎集》等。

木之就規矩在梓匠輪輿人之能為人由腹有詩書詩書勤乃有不勤腹空虛欲知學之力賢愚同一初由其不能學所入遂異閭兩家各生子提孩巧相如少長聚嬉戲不殊同隊魚年至十二三

韩愈家训

木之就规矩，在梓匠轮舆。人之能为人，由腹有诗书。诗书勤乃有，不勤腹空虚。欲知学之力，贤愚同一初。由其不能学，所入遂异闾。两家各生子，提孩巧相如。少长聚嬉戏，不殊同队鱼。年至十二三，

頭角稍相疏二十漸乖張清溝映污渠
三十骨骼成乃一龍一豬飛黃騰踏去
不能顧蟾蜍一為馬前卒鞭背生蟲蛆
一為公與相潭潭府中居問之何因爾
學與不學歟金璧雖重寶費用難貯儲
學問藏之身身在則有餘君子與小人
不係父母且不見公與相起身自犁鉏
不見三公後寒饑出無驢文章豈不貴
經訓乃菑畬潢潦無根源朝滿夕已除

头角稍相疏。二十渐乖张，清沟映污渠。三十骨骼成，乃一龙一猪。飞黄腾踏去，不能顾蟾蜍。一为马前卒，鞭背生虫蛆。一为公与相，潭潭府中居。问之何因尔，学与不学欤。金璧虽重宝，费用难贮储。学问藏之身，身在则有余。君子与小人，不系父母且。不见公与相，起身自犁锄，不见三公后，寒饥出无驴。文章岂不贵，经训乃菑畬。潢潦无根源，朝满夕已除。

人不通古今，馬牛而襟裾。行身陷不義，況望多名譽。時秋積雨霽，新涼入郊墟。燈火稍可親，簡編可卷舒。豈不旦夕念，為爾惜居諸。恩義有相奪，作詩勸躊躇。

君子責己

古之君子其責己也重以周其待人也輕以約重以周故不怠輕以約故人樂為善今之君子則不然其責人也詳其

人不通古今，马牛而襟裾。行身陷不义，况望多名誉。时秋积雨霁，新凉入郊墟。灯火稍可亲，简篇可卷舒。岂不旦夕念，为尔惜居诸。恩义有相夺，作诗劝踌躇。

（《符读书城南》）

君子责己

古之君子，其责己也重以周，其待人也轻以约。重以周，故不怠；轻以约，故人乐为善。……今之君子则不然，其责人也详，其

待己也廉詳故人難於為善廉故自取
也少己未有善曰我善是是亦足矣己
未有能曰我能是是亦足矣外以欺於
人内以欺於心未少有得而止矣不亦
待其身者已廉乎其於人也曰彼雖能
是其人不足稱也彼雖善是其用不足
稱也舉其一不計其十究其舊不圖其
新恐恐然惟懼其人之有聞也是不亦
責於人者已詳乎夫是之謂不以衆人

待已也廉。详，故人难于为善；廉，故自取也少。己未有善，曰："我善是，是亦足矣。"己未有能，曰："我能是，是亦足矣。"外以欺于人，内以欺于心，未少有得而止矣。不亦待其身者已廉乎！其于人也，曰："彼虽能是，其人不足称也。""彼虽善是，其用不足称也。"举其一，不计其十；究其旧，不图其新，恐恐然惟惧其人之有闻也。是不亦责于人者已详乎？夫是之谓不以众人

待其身而以聖人望于人吾未見其尊
己也
雖然為是者有本有原怠與忌之謂也
怠者不能修而忌者畏人修

待其身，而以圣人望于人，吾未见其尊己也。

虽然，为是者，有本有原，怠与忌之谓也。怠者不能修，而忌者畏人修。

（《韩愈文选 · 原毁》）

编例

一、本套书共选五十名作者的家训文章，涵盖上自春秋下迄明清各个朝代，在作者选取上本着立德、立功、立言的“三不朽”原则，在思想内容上要求积极向上。

二、本套书所选文章，出自历代典籍，参考《论语》《孟子》《汉书》《后汉书》《三国志》《齐书》《中国历代散文选》《中华家训》《今古通鉴》《历代家训》《人才鉴要》《梁启超家书》等，做了大量校订工作，对有异议处，查找佐证，综合各家之说，并经专家审定。

三、文章顺序以作者的生年先后为据。每名作者的简要介绍内容以《辞海》的《文学分册》《历史分册》《哲学分册》为主要参照，融合其他资料，归纳概括，力求简洁，以帮助读者更好地理解文章。

四、本套书采用隶书、楷书、行楷三种字体书写。版式设计上，左为书法作品，右为印刷体原文，互为参照，并设计精美插画装饰，呼应内容、书法和时代特征。

编者

二〇二〇年九月